Los cazadores de la banda del valle

Pablo Escalante Gonzalbo
Ilustraciones de Heraclio Ramírez

FONDO DE CULTURA ECONÓMICA
MÉXICO

Coordinación general del proyecto
Daniel Goldin

Coordinador de México precolombino
Pablo Escalante Gonzalbo

Coordinador de México colonial
Rodrigo Martínez

Coordinador de México independiente
Carlos Illades

Coordinador de México en el siglo XX
Ricardo Pérez Montfort

Diseño
Adriana Esteve González
Rogelio H. Rangel

Cuidado editorial
Carlos Miranda
Diana Luz Sánchez

Primera edición: 2000

Carretera Picacho-Ajusco, 227; 14200 México, D.F.

ISBN 968-16-5646-6 (colección)
ISBN 968-16-5620-2 (volumen I)

Impreso en México
Tiro: 10 000 ejemplares

Índice

Héraclio

Introducción

La historia de México comenzó hace aproximadamente veinticuatro mil años, hacia el año 22000 a.C. Antes de esa fecha no había hombres en el territorio que hoy ocupa nuestro país.

Aquellos primitivos habitantes de México se dedicaban a la caza y a la recolección de diferentes especies. En un principio formaban parte de su alimentación animales de gran tamaño como el caballo, el antílope y el mamut. Cuando estas bestias se extinguieron en América, alrededor del año 8000 a.C., la cacería se orientó hacia el venado y otras presas más pequeñas.

Los cazadores-recolectores no acostumbraban construir aldeas permanentes; pero tampoco es cierto que se pasaran la vida caminando, sin detenerse nunca en el mismo lugar. Se agrupaban en bandas, y cada banda se adaptaba a un pequeño territorio, como podría ser un valle, y no lo abandonaba nunca. Dentro de ese territorio la banda hacía recorridos cíclicos en busca de su alimento siguiendo el ritmo de las estaciones del año.

La banda de nuestro cuento vivía en el valle de Tehuacán, hoy estado de Puebla, hacia el año 7000 a.C. Fincaba su campamento cuando las condiciones eran propicias y lo levantaba después de unos meses, cuando la comida empezaba a escasear, para fincarlo en un nuevo lugar. De este modo vivían sus integrantes en tres o cuatro parajes cada año.

En las épocas de sequía y escasez la banda se separaba en familias, para que cada una de ellas rastreara zonas más amplias en busca de alimento. Pasado un tiempo se volvían a reunir.

Entre los cazadores-recolectores se respetaba mucho a los magos, que eran también curanderos y almacenaban conocimientos adquiridos por muchas generaciones.

Cada banda tenía además un jefe que tomaba las decisiones más importantes y dirigía a todos en caso de guerra. El jefe era, por así decirlo, el hombre fuerte, y el mago era el hombre de conocimientos.

Los protagonistas de esta historia son un mago y su joven aprendiz.

P. E. G.

Heraclio

Había que entrecerrar los ojos para esquivar los destellos del sol de la tarde, que todavía pegaba con fuerza. Los hombres jóvenes de la banda del valle amarraban las patas de dos venados para trasladarlos al campamento: eran las únicas presas de una larga jornada de caza.

Uno de los jóvenes, Hoinu, se puso de pie y se secó el sudor de la frente con el brazo. Apenas lo hizo, una flecha le atravesó el cuello. Hoinu no tuvo tiempo de gritar, solamente alcanzó a sacudir las manos y cayó al suelo. Algunos compañeros corrieron a su lado, otros se arrastraron hasta alcanzar el cobijo de una roca y ahí se pusieron de pie para identificar al agresor. Pudieron ver a tres hombres que se alejaban.

–¡Oh! ¡Mira ese pelo! –dijo uno.

–Sí, son meki.

Por la larga cabellera habían identificado a sus viejos enemigos, los meki, una banda *hostil* que varias veces había intentado disputar el territorio a la banda del valle. Ya estaban demasiado lejos para perseguirlos, pero tarde o temprano volverían a encontrarse.

Entre tanto, Hoinu permanecía inmóvil en el suelo. Debían llevarlo al

campamento de inmediato para que Yar Kuta lo curara. Primero levantaron el cuerpo herido, después acabaron de recoger las cuerdas y cargaron los venados. Con paso rápido bajaron al campamento.

De vuelta al campamento

Las mujeres, los niños y los hombres mayores descansaban al amparo de los cobertizos de varas que formaban el campamento. Algunos preparaban flechas amarrando puntas de piedra en los dardos con finos nervios de venado, pero la mayoría había dejado ya los quehaceres del día.

Bi Nzaki, el jefe de la banda, fue el primero en percatarse de que los cazadores venían con un herido. Cuando el grupo llegó al campamento, Bi Nzaki descubrió con pesar que el herido era el mayor de sus hijos.

–¡Llamen a Yar Kuta! ¡Que venga pronto! –exclamó Bi Nzaki.

Los pueblos del México antiguo construyeron diferentes tipos de viviendas, según su cultura y los recursos disponibles en su región. Los cazadores-recolectores y algunos agricultores de zonas áridas vivían en cobertizos o chozas de varas, troncos, paja y pencas de maguey. Los agricultores de tierras bajas solían vivir en casas cuyos muros estaban hechos de caña y cubiertos de adobe, y cuyos techos eran de paja. Generalmente se agrupaban tres o cuatro casas en torno a un patio común.

En la Meseta Central, en Oaxaca y en la Sierra Madre Occidental predominaban las casas construidas con tabiques de adobe. En la gran ciudad de Teotihuacán y en el centro de otras ciudades se utilizaba piedra, cal y arena, y las paredes se cubrían con una especie de yeso y se pintaban.

Dos pequeños se metieron entre los arbustos en busca del mago. Yar Kuta estaba acostado: miraba al cielo con los brazos extendidos. Se encontraba tan distraído que no escuchó a los niños, y éstos tuvieron que sacudirlo por los brazos para que reaccionara.

–Es Hoinu –dijeron los niños–, está herido.

–¡Lo sabía! –exclamó Yar–. Esta noche vi una *estrella fugaz*, y cuando una estrella cae del cielo siempre hay alguien que cae por tierra.

Y mientras decía esto se puso de pie de un salto y entró al campamento. Se arrodilló junto al cuerpo de Hoinu y pidió a unas mujeres que le llevaran las pequeñas hojas azules que usaba como curación para las heridas con sangre. Cuando tuvo las hojas, reblandecidas con agua, las colocó en la herida. Luego llamó a la hermana de Hoinu, tomó su mano y le pinchó el dedo con una espina de *huizache*, retiró las hojas e hizo que la sangre goteara directamente sobre la herida, misma que tapó nuevamente con el *emplasto* de hojas. Repitió todo el procedimiento varias veces. Después acercó la oreja al pecho de Hoinu para escuchar su interior. Por último le habló y le sopló al oído, pero Hoinu no respondió.

El sol acababa de ocultarse cuando Yar Kuta levantó la cabeza y habló:

–Hoinu ya duerme, ya se va a quedar dormido, ya está dormido.

En ese instante todas las mujeres del campamento empezaron a golpearse la frente y a llorar *desconsoladas.* Yar Kuta caminaba alrededor del cuerpo sin vida. Los hombres alimentaban las fogatas y murmuraban entre sí.

Sobre una de las hogueras fueron colocados troncos de la madera más dura que había. En cuanto la luna estuvo en su punto más alto, el cuerpo fue colocado sobre el fuego. A la mañana siguiente el padre de Hoinu recogería los restos y les daría sepultura.

La expulsión de Yar Kuta

El color naranja del cielo en el Oriente no *opacaba* todavía el vivo brillo de las brasas de las hogueras del campamento. Bi Nzaki estaba sentado cerca de unos arbustos y Yar Kuta caminaba *taciturno* de un lado a otro. Ninguno de los dos había dormido aquella noche.

La voz del jefe Bi Nzaki rompió el silencio, como si marcara el fin de la noche.

–Pierdes la fuerza, Yar. Te están abandonando rápidamente tus poderes.

Yar Kuta no respondió, se quedó con la mirada fija en la *aurora.* Había

vivido más de cuarenta años y sabía que muchos en la banda lo consideraban un anciano porque no había memoria de ningún otro miembro que hubiera vivido tanto. Sin embargo él se sentía en la plenitud de sus fuerzas, sus reflejos eran excelentes y cuando corría lo hacía con la agilidad de un venado.

–Te estás volviendo inútil. Ya no das protección. Tú sabes que los meki vendrán a pelear, nos harán la guerra en las próximas lluvias. ¿Cómo vamos a defendernos entonces si las fuerzas no están de nuestro lado? Sí, Yar, te estás volviendo inútil.

El viejo mago se rascó la oreja, siempre lo hacía cuando estaba molesto; luego habló en voz muy baja, para sí mismo–: Es hora de partir.

No dijo más. Se acercó a un arbusto y tomó una bolsa de red que allí guardaba. Antes de dejar el campamento pasó al *cobertizo* donde descansaba Bi Xoki, un muchacho muy joven a quien no habían casado todavía. Se inclinó y lo despertó soplándole al oído.

–Ya vamos, Bi. Ya nos tocó caminar.

Un difícil comienzo

Bi Xoki sabía que era un privilegio ser escogido por el *kwadi,* el mago que lo sabe todo, el maestro que conoce no sólo una sino las dos caras de las cosas. Se puso de pie inmediatamente, metió algunos objetos en su red y se la echó al hombro para iniciar la marcha.

–Mmm... maestro... kwadi... –dijo Bi Xoki tartamudeando–, ¿a dónde nos dirigimos?

–Al sol lo llamas sol, a la luna la llamas luna. Entonces llama al viejo Yar por su nombre ¿Quieres saber a dónde vamos?: vamos al monte. Sí, eso es, al monte.

El sol alcanzó su máxima altura y todavía seguían caminando. Bi Xoki estaba cansado. Yar Kuta ni siquiera tenía una gota de sudor.

Caminaron hasta llegar a una *barranquilla.* Desde el borde, Yar Kuta pegó un salto y cruzó del otro lado. Bi Xoki se quedó quieto, como si lo hubieran atado al suelo. No se atrevía a dar el salto.

–Ajá, ¿te vas a quedar ahí parado?

–No, pero tengo miedo.

–Lo que te va a permitir ir por el aire son tus pies, no tu miedo. Ahora ¡inténtalo!

Bi trató de pensar únicamente en el vuelo de sus pies y saltó ágilmente. Cuando llegó del otro lado, Yar Kuta estalló en carcajadas.

–¿Qué pasa? –preguntó Bi Xoki.

–Que saltas como un *pecarí* atorado en la enramada. Me da risa.

Ambos siguieron caminando.

Mientras tanto...

En el campamento había llegado el tiempo de que la banda se dividiera. Los arroyos traían ya muy poca agua, los animales se encontraban cada vez más lejos y las plantas ya no daban frutos.

Cada una de las nueve familias que conformaban la banda tendría que andar por su lado. Bi Nzaki hizo un dibujo sobre la arena, representaba el gran valle y sus alrededores. En su dibujo marcó por cuál rumbo caminaría cada familia en busca de sustento. Luego apuntó con el dedo índice hacia una montaña cercana. Dentro de siete lunas se volverían a reunir allí.

El respetado Bi Nzaki fue el último en salir del campamento. Quemó los cobertizos para evitar que los meki les hicieran brujería y comenzó a caminar como todos, seguido de sus dos esposas, su hija y el único hijo varón que tenía vivo.

Esa noche cada familia llegaría a una cueva. En unos días más, cuando se acabara la provisión de carne seca, tendrían que ponerse a buscar animales, yerbas y semillas.

Para Bi Xoki habría muchas cosas nuevas que aprender cerca de Yar Kuta.

La mirada en el lugar preciso

Al llegar la noche, el kwadi y su aprendiz ya habían encontrado un refugio rocoso en la cima de un monte. Yar recogió *zacate* y *malezas* y acondicionó

el piso para dormir. Bi Xoki cayó rendido sobre la paja y no despertó hasta sentir la primera luz del alba. Apenas había abierto los ojos cuando oyó la voz de Yar Kuta.

–Todavía no eres un cazador. Quizá hayas atrapado antes algún animal, pero un cazador no es alguien que atrapa animales de vez en cuando: un cazador huele al animal, lo escucha y lo conoce. Por la pura huella sabe si es rápido, si cojea, si se va a dejar atrapar. Por la pura mierda sabe qué comió y de qué colina viene. Y lo más importante, un cazador falla muy pocas veces. Ahora, ¡vamos por venado!

Bi Xoki caminó junto a su maestro hasta que ambos vieron un hermoso venado de cola blanca. Entonces Bi quiso sorprender al viejo con un movimiento rápido. Sacó de su red el *lanzadardos* y una flecha, y puso el brazo en posición de lanzamiento.

Yar hizo un gruñido y le agarró el brazo con fuerza.

–No es venado sino venada y está encinta. No la debes matar.

Bi Xoki se avergonzó nuevamente y siguió caminando con la cabeza caída.

–¿Buscas lagartijas o venados? –le preguntó Yar con sorna.

–¿Eh...?

–Entonces levanta la cabeza.

En ese momento pasó otro venado dando de saltos y escondiéndose entre *cardones* y *garambullos*. Bi Xoki esperó a que el animal se encontrara a descubierto y comenzó a lanzar sus flechas.

Cinco flechas lanzó sin acertar una sola.

–Vas un poco rápido.

–No entiendo qué ocurre, estoy disparando cuando el venado se queda quieto.

–Tal vez ése es el problema. Un buen cazador no lanza su flecha hacia donde estaba la presa sino a donde va a estar. Lo que tienes que hacer es observar el movimiento del animal, mirar muy bien los músculos de sus patas porque ellos te dicen cómo va a saltar y para dónde. Dirige la flecha al lugar donde va a ir a parar el venado y no fallarás.

Al poco tiempo vieron otro venado que caminaba plácidamente sin haber notado la presencia de los intrusos. Bi Xoki sacó una flecha precipitadamente, y se disponía a tirar cuando Yar Kuta sacudió las ramas de un *mezquite*. El venado, advertido por el ruido, *puso pies en polvorosa* y se perdió a lo lejos.

–¿Por qué lo ahuyentaste? Tal vez ahora hubiera acertado –dijo Bi Xoki.

–Porque quiero que aprendas a ser paciente. Si no eres paciente nunca podrás esperar a tu presa. En tiempos de escasez cazarás lagartijas con tal de no esperar toda la mañana en el monte hasta que aparezca el venado, y cuando el venado aparezca estarás tan distraído con tus pequeñas lagartijas que ni lo verás. Así que aprende esto también: el buen cazador nunca se cansa de esperar.

Un kwadi

> La presa más codiciada por los cazadores del México prehispánico era el venado: su carne es sabrosa y su piel muy útil para confeccionar capas, para cubrir asientos y cojines, e incluso para fabricar cierto tipo de papel. También se cazaba el conejo para aprovechar su carne y su piel. De los jaguares se utilizaban sus pieles y colmillos, muy codiciados por la nobleza.
>
> Otros muchos animales complementaban la dieta: la serpiente, la rana, el armadillo, el ratón de campo, etcétera.

Bi sentía que los pies le pesaban más que nunca.

–Ya te estás quebrando, muchacho. Ven, descansemos.

Yar señaló una grieta entre dos peñascos donde la sombra era tupida. Allí permanecieron por un rato hasta que Bi Xoki estuvo repuesto. Entonces se pusieron en marcha y no dejaron de caminar hasta poco antes del *crepúsculo*. Cuando faltaba poco para que el sol se ocultara, Yar Kuta indicó a su aprendiz que se sentara junto a él, en lo alto de una loma.

–No has venido conmigo solamente para aprender a cazar. Eso bien podría enseñártelo tu padre, o incluso el arrogante Bi Nzaki. Tú estás aquí para aprender a ser un kwadi del mismo modo que lo aprendí yo hace tiempo.

Bi Xoki escuchaba con toda su atención.

–Mira –dijo Yar–, un kwadi debe conocer muchas cosas, pero la principal es ésta: si quieres ser un hombre sabio y ayudar a tu gente, tienes que saber llamar a la fuerza, tenerla de tu lado y no dejar que ella te domine sino al contrario, ponerla a tu servicio.

"Cuando el sol se oculta al final del día –continuó diciendo Yar Kuta, y apuntó al horizonte con un movimiento de la cabeza– está lleno de fuerza, por eso se pone colorado. Si tú te ocupas de mirar el sol en el momento preciso en que se oculta, todos los días sin excepción, empezarás a compartir un poco de la fuerza que hay en él... Pronto vas a sentir la presencia de la fuerza en este mundo como se siente el aire que hace rodar el polvo. La descubrirás en el corazón de la niebla, en la grieta de la montaña, en el ímpetu con que brota el manantial, en el peso del ala del zopilote."

Después de decir esto Yar Kuta guardó silencio. Durante varios días él y Bi cruzaron muy pocas palabras. Comían las reservas de carne seca que llevaban consigo y se sentaban durante larguísimos ratos a contemplar cada sitio por el cual pasaban.

Cierta tarde, Yar rompió su silencio.

–Has comenzado a entender que hay una fuerza detrás de cada cosa, y que hay sitios llenos de fuerza. Ahora hay más que debo enseñarte.

"Un kwadi debe ser escuchado por su gente –continuó–, y para ser escuchado hay que saber hablar. La voz de un verdadero kwadi da fuerza a quienes la escuchan y abre caminos que de otra forma permanecerían oscuros.

"Si no quieres que te oigan, entonces *susurra.* Pero si quieres que el sonido de tus palabras entre en los corazones de la gente, haz que tu voz sea fuerte como el rugido de un puma."

–¿Cómo puedo hacer que mi voz se parezca a la del puma? –preguntó Bi, interrumpiendo.

–Primero escucha al puma –contestó secamente el viejo kwadi.

Curar

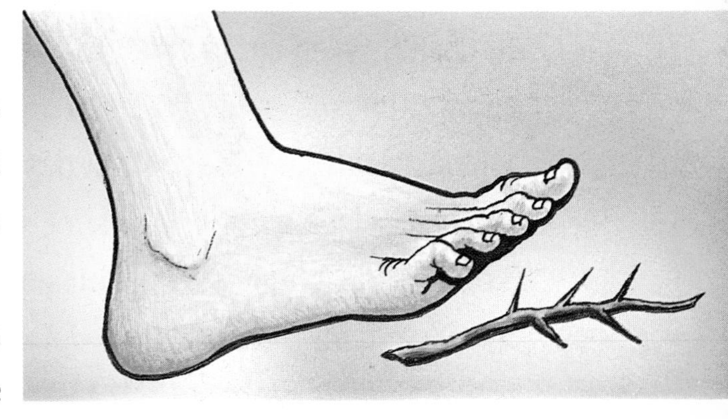

Una mañana Bi Xoki salió de la cueva en la que dormía con Yar y caminó en busca de un pequeño arroyo que había visto la noche anterior.

Apenas había dado unos pasos fuera de la cueva cuando sintió una terrible punzada en la planta del pie izquierdo: una espina. Saltó instintivamente para apoyarse con el pie derecho y se enterró otra espina. Temeroso de apoyarse con cualquiera de los dos pies, Bi se dejó caer de espaldas.

Justo en ese momento Yar salió de la cueva y vio a Bi tendido en el piso.

–Parece que necesitas ayuda –dijo el viejo.

–¡Oh! Me he clavado dos espinas muy largas –se quejó Bi.

Yar Kuta se acercó y examinó los pies del muchacho. Sacó las espinas de ambos pies y sangró las heridas presionando con fuerza.

–Ahora tenemos que evitar que tus pies se hinchen, de lo contrario te quedarás sin caminar varios días.

Yar se perdió unos instantes detrás de una roca y regresó con un racimo de hojas tiernas.

–Mira, esto es algo que debes aprender. Un kwadi conoce los secretos de las plantas y así cura las heridas. –Mientras hablaba, Yar iba masticando las hojas y aplicaba en los pies de Bi una saliva espesa y reverdecida por el jugo–. Atiende: dentro de cada planta hay una cura para cada daño. Si el cuerpo se hincha, si tiene puntos, si se abre, si sangra es porque tiene dentro un daño. Hay que saber buscar las plantas que sirvan contra ese daño. El daño de la espina se quita con las hojas del *cuhumín*... Ponte de pie.

Bi Xoki vaciló un poco pero pronto apoyó las plantas y se levantó. Apenas sentía las heridas.

–¿Lo ves? Las espinas no te dejaron daño.

Con el paso del tiempo Bi fue aprendiendo de su maestro a reconocer las plantas: "La hoja que tiene forma de flecha cura el daño de los ojos, cuando los ojos tienen lágrimas espesas. La hoja amarilla y carnosa del *mehcuri* aleja el daño cuando está dentro de la cabeza; se bebe con agua. La raíz del *bothó* se mezcla con orines y cura el daño de la picadura de la avispa *bothay*, por eso se llama raíz del *bothó*. Para dolor en todo el cuerpo, se mezclan hierbas que curan diferentes daños y se beben..."

Así repasaba Bi mentalmente las enseñanzas del viejo. No quería olvidar ningún detalle: ni la raíz de la planta *bothó*, ni la voz del puma, ni las patas traseras impulsando al venado, ni el ímpetu del manantial, ni el peso del ala del zopilote.

Un buen día, Yar Kuta despertó al muchacho con estas palabras:

–Las lluvias están próximas, es tiempo de regresar con los nuestros.

–¿Por qué debemos regresar tan pronto? Seguramente todavía hay cosas que puedo aprender.

–Sin duda, pero ahora tienes una misión que cumplir.

–¿Cuál es?

–Lo sabrás cuando estés en el campamento.

El regreso

En esos meses Bi y Yar se habían alejado mucho del valle, habían llegado hasta la zona de los montes del sur, una zona que la mayoría de los hombres de la banda, ocupados en su *peregrinar* anual por el gran valle, no llegaría a conocer jamás. El camino les tomó varios días. Poco antes de llegar al valle, Yar Kuta se dirigió al joven con mucha seriedad.

–Aunque yo no llegara contigo al campamento, eso no cambia las cosas: tú sigue andando y recuerda que tienes una tarea.

Bi se quedó asustado por lo que había oído. Nunca en todo ese tiempo le había pasado por la cabeza la idea de separarse de Yar Kuta. Tan sólo pensar en eso le producía escalofríos. Pero no hubo ocasión de replicar ni de hacer preguntas. Yar se llevó un dedo a la boca para indicar a Bi que callara y luego le ordenó seguir. ¿Qué significaba aquella frase? ¿Por qué tanto misterio? ¿Cómo no iba a llegar al campamento un hombre con la fuerza de Yar, si tan sólo faltaba un día, quizá menos?

–¿Recuerdas esta barranca, Bi?

–Claro, fue aquí donde te reíste de mí y dijiste que saltaba como un pecarí.

–Bueno, ahora tú saltarás primero.

Bi Xoki tomó impulso y voló del otro lado de la barranca.

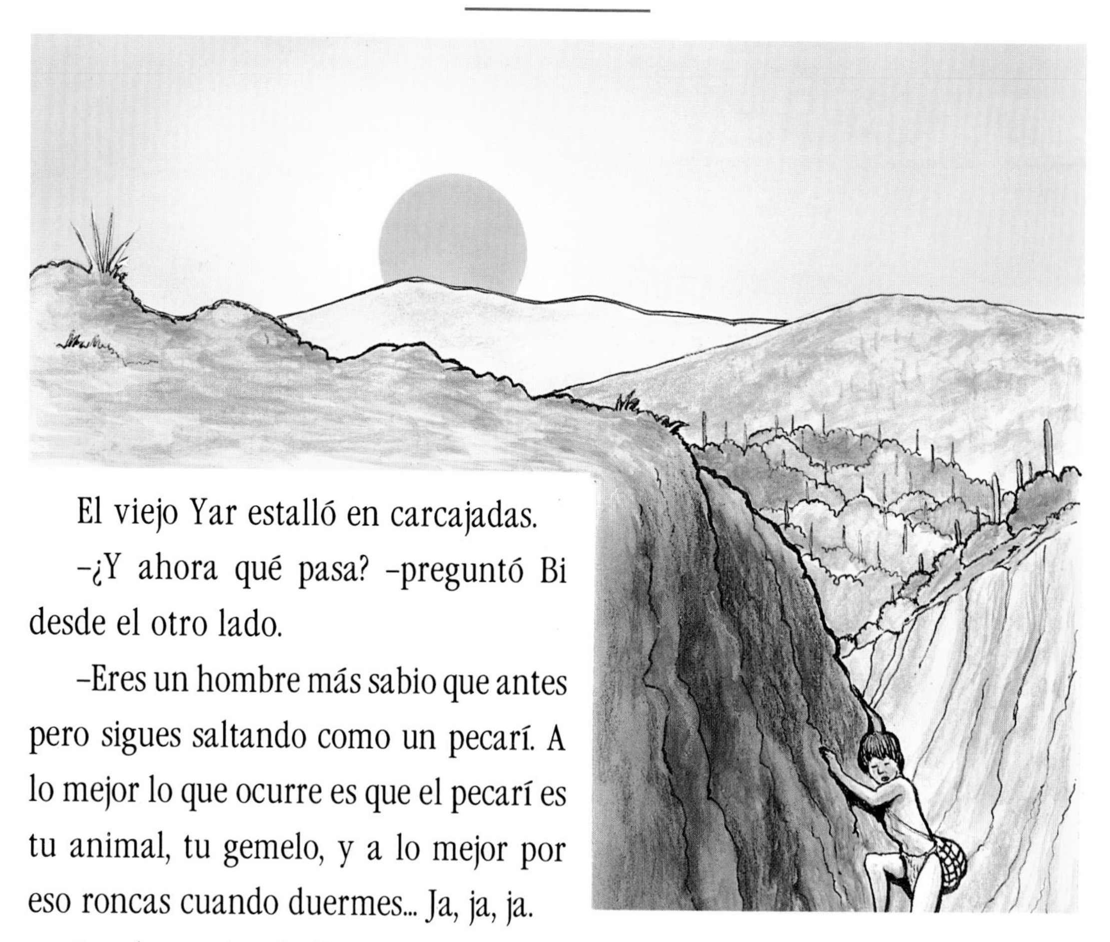

El viejo Yar estalló en carcajadas.

-¿Y ahora qué pasa? -preguntó Bi desde el otro lado.

-Eres un hombre más sabio que antes pero sigues saltando como un pecarí. A lo mejor lo que ocurre es que el pecarí es tu animal, tu gemelo, y a lo mejor por eso roncas cuando duermes... Ja, ja, ja.

La alegre risa de Yar se convirtió de pronto en un gesto serio.

-La vida está bien contigo, muchacho... Ahora debo irme. ¡Adiós!

Después de decir esto Yar saltó sobre la barranca, pero no alcanzó a llegar al otro extremo. A medio camino comenzó a caer lentamente como una pluma de gavilán. Bi Xoki tuvo un sobresalto, bajó corriendo por un despeñadero hasta la sima de la pequeña barranca y llegó al sitio donde calculaba que había caído el cuerpo de Yar. Allí no había nada, sólo una sombra en la tierra, una sombra con el mismo color naranja del sol crepuscular. Bi Xoki quiso tocarla pero la tierra ardía.

Yar se había *esfumado*. Ahora sólo quedaba seguir el camino y llegar al campamento. Bi apresuró el paso y no lo aflojó hasta tener el campamento a la vista.

En casa

La banda estaba completa, todas las familias habían llegado ya.

Bi Xoki se acercó a los cobertizos.

Al primero que reconoció fue a Pahyu, hijo del hermano de su padre. Pahyu estaba sentado y sostenía con los pies una piedra a la que daba forma con dos afiladas lajas. Bajo la sombra de un mezquite dos mujeres alisaban hojas de *yuca.*

Al pasar Bi cerca de ellas, ambas lo miraron a los ojos, se rieron y dijeron algo que Bi no alcanzó a oír. A esas dos no las había visto nunca: debían pertenecer a una banda amiga de las cercanías y seguramente habían llegado para casarse con hombres de la banda del valle.

Cuando la madre de Bi se dio cuenta de que su hijo había llegado, corrió hacia él y se postró a sus pies. Otras mujeres de la banda se le unieron y todas, arrodilladas alrededor de Bi Xoki, lloraban y decían en voz alta: "¡Cuánto te cansaste! ¡Qué lejos estuviste! Ahora debes descansar". Bi ya había presenciado antes esta ceremonia: así se recibía a quienes venían de lejos.

> Los matrimonios en el México antiguo eran asuntos de interés colectivo, y rara vez podían dejarse al capricho de los contrayentes. Para los cazadores-recolectores los matrimonios eran una forma de establecer alianzas entre bandas. Los agricultores regulaban los matrimonios para asegurar la conservación de las tribus y su patrimonio. Entre los nobles, los matrimonios eran parte de una estrategia diplomática, eran inseparables de la política de alianzas.

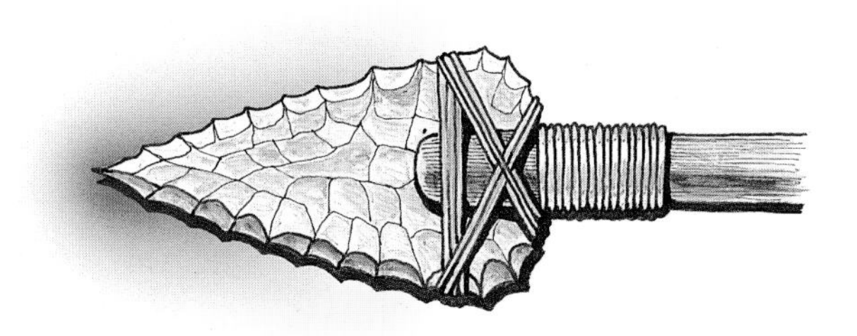

Bi no tardó en percibir la tensión que reinaba en el campamento.

–¿Qué ocurre? –preguntó a su primo.

–Los meki están cerca. Ayer se llevaron a una de nuestras mujeres mientras se bañaba en el arroyo. Y lo peor es que los hombres tienen miedo de atacar, dicen que los meki han formado una banda muy grande y que será difícil vencerlos.

Bi Xoki se quedó preocupado por lo que había oído. Caminó en círculos durante un buen rato en busca de una respuesta. Escrutó el horizonte. Recargó los codos en el tronco inclinado de un huizache.

Al llegar la noche se acercó a la fogata principal del campamento: con el calor de las llamas recordó las palabras de Yar Kuta: "La voz de un verdadero kwadi da fuerza a quienes la escuchan y abre caminos que de otra forma permanecerían oscuros". Y entonces comenzó a pronunciar un discurso pidiendo a los hombres de la banda que tuvieran valor para la guerra.

En su discurso, Bi hablaba de la misma forma en que lo había hecho

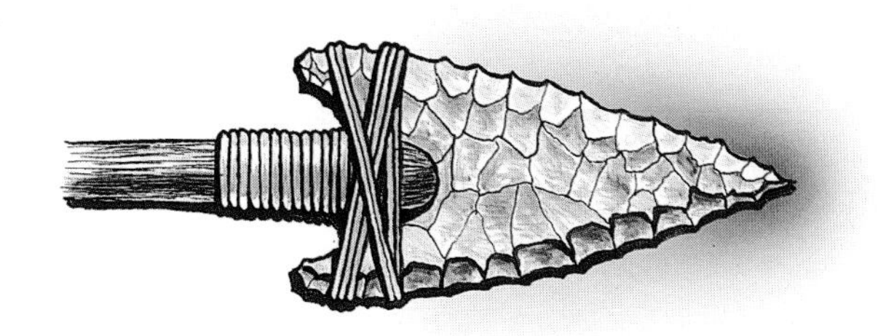

Yar Kuta años atrás, en tiempos del primer enfrentamiento con los meki. La gente de más edad todavía lo recordaba.

Cuando terminó el discurso los hombres, que habían permanecido inmóviles durante un rato, se retiraron a sus cobertizos a preparar las armas.

La noche fue calurosa y larga.

La batalla

No amanecía aún cuando llegó el jefe Bi Nzaki muy agitado a despertar a Bi Xoki.

–¡Ey!, muchacho, despierta. Toma tus armas. El *vigía* ha escuchado ruidos en los matorrales de la cuesta.

Bi Xoki, que por supuesto no dormía y había escuchado los ruidos también, despertó a su padre y corrió al lado del jefe. Pronto se les unieron los demás hombres de la banda. Todos caminaban con *sigilo*. Con una orden de Bi Nzaki se detuvieron y permanecieron *agazapados* esperando.

De pronto apareció la silueta de tres guerreros recortada en el rojo del amanecer. Los meki empezaron a surgir por todas partes: entre los mato-

rrales, detrás de las piedras, subiendo la cuesta.

Una lanza cortó el aire y cayó a los pies del jefe Bi Nzaki. Inmediatamente vino una lluvia de flechas.

Durante el primer intercambio de proyectiles habían caído heridos varios hombres de la banda del valle. Los meki, en cambio, parecían multiplicarse a cada instante, con sus temibles rostros pintados, el pelo alborotado y lleno de plumas.

Fue entonces cuando Bi Xoki se trepó a una roca, quedando completamente desprotegido, y comenzó a lanzar flechas. Ni siquiera utilizaba el propulsor: las lanzaba con las manos como lo había visto hacer a Yar Kuta en alguna ocasión. Cada vez que lanzaba una flecha recordaba las patas del venado y ponía el tiro justo en el sitio en que el enemigo iba a moverse.

Algunos hombres de la banda del valle comenzaron a imitarlo, y lanzaban sus flechas con valentía.

Así fueron cayendo los enemigos uno tras otro hasta que el jefe meki dio el grito de retirada. Los hombres de la banda del valle, incluso los heridos, se alegraban de ver cómo el enemigo corría dando aullidos. Ni siquiera hubo combate cuerpo a cuerpo.

Después de la estampida, los hombres de la banda del valle dirigieron su mirada hacia Bi Xoki, que permanecía sobre la roca, respirando con agitación y sudando copiosamente. En ese momento se formó junto al muchacho un remolino de arena. Del remolino salió una figura... Era Yar Kuta, el viejo kwadi de los *prodigios* y las curaciones.

Yar apuntó con el dedo al jefe Bi Nzaki, que sangraba de un hombro.

-Me llamaste inútil -declaró Yar-. Dijiste que la fuerza había desaparecido. Te equivocabas: allí está la fuerza -y señaló ahora a su aprendiz-. Él tiene la fuerza consigo, será kwadi, será respetado.

Después de decir esto, Yar desapareció del mismo modo en que había llegado, se lo tragó el remolino.

Cuando cesó la polvareda levantada por el remolino no era ya Bi Xoki el que estaba posado sobre la roca sino un robusto puma de grandes ojos. Los hombres de la banda no salían de su sorpresa.

En adelante, Bi Xoki, cazador y hombre fuerte de la banda del valle, sería respetado como kwadi y asombraría a todos con sus prodigios.

El puma saltó de la roca y rugió en el rumbo de la cuesta.

ALTIPLA
CENTRA

OCÉANO PACÍFICO

Coordinación general del proyecto
Daniel Goldin

Coordinador de México precolombino
Pablo Escalante Gonzalbo

Coordinador de México colonial
Rodrigo Martínez

Coordinador de México independiente
Carlos Illades

Coordinador de México en el siglo XX
Ricardo Pérez Montfort

Diseño
Adriana Esteve González
Rogelio H. Rangel

Cuidado editorial
Carlos Miranda
Diana Luz Sánchez

Primera edición: 2000

Carretera Picacho-Ajusco, 227; 14200 México, D.F.

ISBN 968-16-5646-6 (colección)
ISBN 968-16-5620-2 (volumen I)

Impreso en México
Tiro: 10 000 ejemplares

HISTORIAS DE MÉXICO ▼ VOLUMEN I / TOMO 2

México precolombino

Xoi Yuun, un niño olmeca

Carlos Brockman
Ilustraciones de Felipe Dávalos

FONDO DE CULTURA ECONÓMICA
MÉXICO

GOLFO
DE MÉXICO
VALLE
MÉXICO

Glosario

agazapado: escondido, oculto en espera de algo o alguien.

aurora: momento que precede a la salida del sol.

barranquilla: barranca pequeña, cuyas paredes se encuentran cerca una de otra.

cardón: cactácea alta de tallo grueso y cilíndrico del cual surgen múltiples ramificaciones.

cobertizo: choza, casucha pequeña y provisional que carece de muros sólidos.

crepuscular: propio del crepúsculo, es decir, de los minutos inmediatamente posteriores a la puesta del sol.

desconsolado(a): sumamente triste, sin consuelo.

emplasto: masa blanda y húmeda que se aplica sobre heridas y lesiones con fines curativos.

esfumarse: desaparecer, desvanecerse.

estrella fugaz: cuerpo luminoso que cruza la bóveda celeste y da la impresión de estar cayendo.

garambullo: cactácea de gran altura con ramificación profusa que surge desde la base.

hostil: enemigo, que agrede o ataca a alguien.

huizache: planta leguminosa propia de zonas áridas, con forma de arbusto o árbol de poca altura. Sus ramas son espinosas y surgen desde la base de la planta.

kwadi: mago o brujo, según la lengua de los personajes del cuento.

lanzadardos: propulsor manual que se utilizaba antiguamente para arrojar flechas.

malezas: hierbas que no producen fruto alguno y que crecen entrelazándose, en forma enmarañada.

mezquite: del náhuatl *mízquitl*, planta leguminosa de zonas áridas, con forma de arbusto o árbol de poca altura.

opacar: tapar el brillo de algo.

pecarí: cerdo salvaje.

peregrinar: ir de un lado a otro en busca de algo.

poner pies en polvorosa: huir rápidamente de algún sitio.

prodigio: cosa milagrosa o portentosa.

sigilo: cautela; caminar con sigilo es caminar cuidadosamente para no ser oído.

susurrar: hablar en voz muy baja.

taciturno: triste, pensativo.

vigía: centinela, guarda, vigilante.

yuca: yuca es uno de los nombres con los que se conoce al izote, planta del género *yucca*. No debe confundirse con la yuca cuya raíz se come. El izote es una planta de zonas áridas, caracterizada por un tronco alto, en cuya copa surgen hojas de forma muy similar a las del agave.

zacate: pasto seco.

avispa bothay, bothó, cuhumín, mehcuri: voces otomianas; se han escogido estas palabras pues es probable que los cazadores-recolectores del valle de Tehuacán hablaran alguna primitiva lengua de tipo otomiano.

Índice

Introducción

En la parte septentrional del territorio mexicano, las comunidades humanas siguieron dedicadas en su mayoría a la caza y a la recolección hasta la época de la conquista española, pero en el centro y en el sur la vida cambiaría mucho con el advenimiento de la agricultura.

El descubrimiento de la agricultura no fue un hallazgo portentoso que tuviera lugar de un día para otro. En realidad deberíamos hablar, más bien, del proceso de domesticación de las plantas: un proceso que tomó miles de años.

Fueron los propios cazadores-recolectores quienes modificaron las plantas paulatinamente al brindarles cuidados que garantizaban su crecimiento. Los campamentos de recolección de la estación húmeda se convirtieron así en aldeas de agricultores.

El surgimiento de las aldeas agrícolas en México ocurrió entre el año 5000 y el 3000 a.C.

En las aldeas se mejoraron algunos artefactos que ya existían, como las piedras de moler y las cestas, y se desarrolló el hilado y el tejido de fibras duras y de algodón.

El barro comenzó a utilizarse en las viviendas y quizá en los depósitos de semilla; posteriormente se aplicó a los canastos para hacerlos impermeables. Es probable que la exposición al fuego de estos canastos revestidos de barro haya dado lugar al descubrimiento de la técnica que permite producir cerámica.

En un principio todas las aldeas eran semejantes en tamaño y en jerarquía y la igualdad dominaba dentro de cada aldea. Pero las actividades comenzaron a diversificarse: surgieron expertos artesanos y sacerdotes, y los jefes se dedicaron de lleno a la organización de sus comunidades. Algunas aldeas crecieron y comenzaron a organizar el intercambio y a dirigir la actividad religiosa. Así surgieron las primeras villas regionales.

El cuento transcurre en una de esas villas: la que conocemos como La Venta, en el actual estado de Tabasco. La Venta fue el centro más importante de la cultura olmeca, y puede considerarse la cuna de la civilización en el México prehispánico.

Los aldeanos de los alrededores de aquella villa contribuían con su trabajo para alimentar a la gente que vivía en ella y no se dedicaban a la agricultura. También participaban en grandes obras públicas como la edificación de plataformas y templos o el traslado de piedras gigantescas.

PABLO ESCALANTE GONZALBO

En el interior de la choza se escuchaban los chillidos de los monos y el trinar de las aves. Ya comenzaba a hacer calor cuando Xoi Yuun se revolvió en su *petate.* Adormilado, se ajustó el taparrabos y se levantó mientras pensaba, contento, que ése sería un día muy importante. Por fin, tras tanto tiempo, iría a la ceremonia en el gran pueblo, pero antes tenía que cumplir sus deberes y dar de comer al perro que su familia guardaba en el corral. Tuvo cuidado de no despertar a sus padres y hermanas, que aún dormían en la única habitación de la casa. Afuera, en el ambiente húmedo y cálido de la selva, encontró a su hermano mayor, quien regresaba de nadar en el arroyo que bordeaba la *terraza* donde vivían ellos y otras familias.

Mientras tanto, otros niños también cumplían con sus deberes o jugaban. A Xoi Yuun le hubiera gustado estar con ellos, pues como era el mejor nadador de la aldea siempre les ganaba a todos en los juegos. Pero hoy era un día especial y tenía prisa. Su papá había dicho que se llevaría una buena sorpresa.

"Qué suerte", pensó, "no tener que trabajar hoy en la *milpa.*"

Él, su papá y su hermano cultivaban una parcela muy fértil dentro de la terraza y, si bien bastaba con una sola cosecha para alimentar a todos y enviar una parte al gran pueblo, el trabajo era agotador. Había que limpiar la parcela cada año, evitar que las aguas del arroyo la inundaran, sembrar, cuidar las plantas y alejar a los animales, para luego cosechar. Después, su mamá y su hermana molían el maíz, guardaban el frijol y dejaban todo listo para que entre las dos prepararan la comida todos los días.

"¡Qué flojera!" Definitivamente, Xoi Yuun prefería darle de comer a su perro; era tan bonito, pelón y negro. Ya se había encariñado con él. Pero, como su papá le había dicho, no era para que fuese su compañero de juegos, no: sería el platillo principal de la boda de su hermano. La boda se realizaría en unos meses, pero había que engordar bien al perro para que los comensales quedaran contentos.

"Bah, en todo caso, bien podrían comerse una tortuga, como cuando hay fiesta, o mandar a mi hermano de cacería", pensó Xoi Yuun mientras regresaba a casa desganado. "Al fin, si tiene tantas ganas de quedar bien con

su suegro, que vaya a traer un venado y que deje en paz a mi perro."

Además, no se explicaba por qué su hermano estaba dispuesto a construirse una casa, a abrir una parcela nueva y a trabajar tanto sólo para tener una mujer. Claro que todos los hombres de la aldea lo ayudarían al principio, pero aun así le parecía demasiado esfuerzo.

En casa, su mamá y su hermana ya habían hecho algunos tamales en el *tecomate*. Los hombres comían y él también se sentó a comer un tamal. Su hermanita, que apenas tenía unos meses de edad, lloraba desconsoladamente. ¡Claro!, su mamá acababa de apretarle los maderos que le harían perfectamente una cabeza cuadrada. Xoi Yuun sabía que si no se los apretaba bien, tal vez su hermanita no podría ser considerada de veras bonita y le sería más difícil conseguir novio. En ese momento su papá dejó de comer, se volteó y le dijo:

–Hijo mío, como te había dicho, hoy vendrás con nosotros al gran pueblo.

Xoi Yuun no cabía en sí de gusto. Solamente había ido una vez antes a la ceremonia de inicio de la siembra, y se sentía muy contento de volver.

Los principales alimentos de origen agrícola en el México antiguo eran el maíz, el frijol, el tomate y el jitomate, el aguacate, el chile y las semillas de calabaza, chía y amaranto. Además había productos típicos de cada región, que le daban un matiz particular a las diferentes dietas: en las costas y zonas lacustres se comía bastante pescado y mariscos; en el sureste se consumía mucha yuca; en las mesetas frías y en las sierras el pulque era fundamental. Todos los pueblos comían, además, las frutas propias de su tierra: guayaba, chicozapote, tuna, etcétera.

Era tan grande y tenía tantas sorpresas para los campesinos de las aldeas...

Además, el hecho de que lo llevaran ahora quería decir que por fin vería de nuevo a su tío, el hermano de su papá, que venía acarreando una enorme piedra. Ver a su tío y participar el mismo día en la ceremonia para colocar la piedra. Eso sí que es tener suerte.

Xoi Yuun viaja al gran pueblo

Los preparativos fueron breves. La mamá de Xoi Yuun preparó un *itacate* con tamales y un *guaje* lleno de *pozol*. A Xoi Yuun le encantaba sentir lo refrescante del maíz disuelto en el agua, sobre todo cuando le ponían algo para darle mejor sabor. Su papá, su hermano y él subieron a la canoa y, dejando a las mujeres en la aldea, partieron junto con otros vecinos.

En el camino vieron terrazas similares a la suya. De ellas salían canoas hacia el gran pueblo, pues casi todas las aldeas habían mandado algunos hombres para ayudar a mover la gigantesca piedra. De repente, su papá llamó la atención de él y de su hermano, señalándoles una parte del arroyo que tenía el agua muy revuelta. Les explicó que esto se debía a la abundancia de

peces en ese lugar y que tenían que saber estas cosas para ser buenos pescadores. El papá de Xoi Yuun y su hermano comenzaron a platicar acerca de lo bueno que era pescar con dardo, y a recordar aquella ocasión en que entre todos los de la aldea obligaron a muchos peces a ir hacia sus redes y consiguieron una gran captura. Aburrido, Xoi Yuun dijo–: Pues a mí me parece que cazar venados, como lo hace mi tío, es mucho mejor que pescar.

–No sabes lo que dices –respondió molesto su papá–, la pesca es mucho más importante para nuestra alimentación que la cacería, porque casi siempre encontramos peces para rellenar los tamales, y no es frecuente encontrar tantos animales al salir de caza. Además, tu tío será muy buen cazador, pero cuando no tiene qué comer, bien que viene a nuestra casa. ¿Te parece que eso está bien?

Xoi Yuun sabía que debía contestar que no, que estaba muy mal descuidar la milpa y no tener qué comer, así que se lo dijo a su papá. Temía un posible castigo: ¿Qué tal si se lo llevaban de regreso a la aldea?

En todo caso, no le parecía que estuviera mal pescar; en realidad, lo único que le molestaba era recolectar ostras y otros moluscos. Claro que eran ricos a la hora de comérselos, pero eso de sumergirse en el lodo y debajo de los árboles de *mangle* para buscarlos no era su idea de la mejor diversión. Sus mejores amigos lo acompañaban cuando le tocaba ir y siempre se comía unas ostras antes de llegar a casa. Pero cuando iba su hermano, siempre salía con eso de que no debían comer nada en el camino para que sus familias tuviesen más.

Xoi Yuun se había preparado para la ceremonia. Tuvo que purificarse desde hacía algunos días, porque no podía ir al gran pueblo así como así: a los dioses se les visitaba cuando uno estaba limpio. Algo le preocupaba: este

viaje significaba que ya casi estaba listo para ser iniciado como adulto, lo que quería decir que le cambiarían el nombre. Ya se había acostumbrado al suyo y respetaba y quería a su animal *tutelar*, el conejo, porque Xoi Yuun significa "pequeño conejo". Xoi Yuun sabía que siempre podría contar con que el conejo del bosque lo protegiera; a cambio, no lo comería ni le haría daño. Como todos sus amigos sabían, el animal tutelar marcaba el carácter de la persona y él estaba orgulloso de ser retozón y rápido como el conejo. Por eso no le gustaba ignorar cuál sería su nombre de adulto. ¿Y si se lo cambiaban por completo? Entonces ya nadie sabría que él era casi un conejo y cuando lo conocieran podrían creer que era perezoso como la iguana.

Pronto comenzaron a aparecer más y más canoas, navegando todas en la misma dirección; salían de los innumerables arroyos que surcaban toda la región, flanqueadas por la espesa y verde vegetación de los inmensos manglares que recorrían. De pronto, tras una de las curvas de los arroyos, pudieron distinguir el templo, que sobresalía por encima de los árboles más altos. Habían llegado al gran pueblo.

En el México antiguo no se practicó la navegación en alta mar, ni se usaron grandes barcos. Por eso la llegada de las naves españolas fue sorprendente. Sin embargo, la navegación costera, así como la navegación en ríos y lagos era muy frecuente.

La embarcación más común estaba hecha con un tronco ahuecado, al que se le daba forma en el exterior para garantizar la estabilidad. Otro tipo de embarcación, preferido para cruzar los ríos con mercancías, eran las balsas hechas con troncos amarrados y con flotadores de calabazas huecas.

Se han conservado las ruinas de un puerto marítimo prehispánico: el de Tulum.

De las cosas que vio y los regaños que se llevó Xoi Yuun

Atracaron la canoa en una de las orillas de la isla en que se hallaba el gran pueblo. Xoi Yuun y su hermano echaron a andar detrás de su papá, atravesando la parte en que habitaban los artesanos. Mientras caminaban, Xoi Yuun pidió a su papá que le explicara exactamente lo que se celebraba aquel día. Su papá, apurado, le respondió que era una fiesta para celebrar la llegada de la inmensa piedra que traían su tío y los demás hombres.

–No está bien que le des a tu hijo explicaciones tan simples –dijo una voz profunda a su espalda–; aunque seas un campesino le debes contar que esto no es tan sólo una fiesta.

Xoi Yuun volteó y vio con asombro a un señor que vestía un taparrabos de muchos colores y llevaba un lindo collar de piedras verdes y brillantes.

–Es que somos solamente unos aldeanos muy sencillos y pobres –respondió su papá con humildad y quizá con algo de miedo–. Todavía no se le explica a este niño el origen de las cosas, ni le toca ir al templo para convertirse en hombre.

–¿Qué son esas piedras tan bonitas que lleva en su collar? –se atrevió a preguntar Xoi Yuun, mientras su papá y su hermano lo miraban furiosos detrás del extraño.

–Son cuentas de jade, piedra de los dioses por su color verde, símbolo de la fertilidad –le respondió el artesano–, y las han traído desde muy lejos, muchísimo más lejos que el lugar de donde traen la piedra para el monumento.

–¿Cómo es que son tan delgaditas y brillan tanto? –preguntó Xoi Yuun, y alcanzó a escuchar, mientras el hombre se alejaba, súbitamente desinteresado:

–Porque las *tallé* yo mismo, que soy uno de los mejores artesanos del jade y por eso se me rinden honores.

Siguió un largo sermón acompañado de jalones de orejas y pescozones. Su papá hizo entender a Xoi Yuun que no se debía hablar con los adultos si ellos no le preguntaban algo antes, y mucho menos dirigirse a los señores con esa falta de cortesía, pues eran muy ricos y poderosos. Si un señor se llegaba a enojar... Después del regaño le contó que esa piedra era sagrada, porque el verde representaba la abundancia de las cosechas. Por eso se hacía el esfuerzo de traerla desde regiones tan alejadas y los artesanos que la tallaban eran considerados favoritos de los dioses. También se traían otras piedras verdes en mayor cantidad, pero el jade era mejor y más valioso. De hecho, las principales ofrendas, que eran enterradas para complacer al jaguar, señor de la tierra, debían tener tantas piedras verdes como fuera posible.

Xoi Yuun vio una construcción de columnas de piedra y recordó que su papá le había contado la vez anterior que se trataba de una tumba para los señores.

–Papá, cuando el señor que vimos se muera –dijo aún lloroso–, ¿tendrá una tumba como ésa?

–No, mi hijito –le respondió su papá con toda la calma que pudo reunir–, ese señor no es un señor principal sino un artesano; no es igual de importante.

Enseguida le explicó que, si bien los artesanos del jade, los que se dedicaban a traer mercancías desde muy lejos y algunas otras personas de la villa eran importantes, no todos eran principales. Los señores principales tenían una gran labor: eran los sacerdotes que decían cuándo cultivar y ofrendar, gracias a su conocimiento de los dioses y las estrellas. Por esta razón eran los mejores para gobernar, ya que los dioses los habían hecho sabios y prudentes.

Los gobernantes eran honrados mediante la elaboración de las cabezas, y a ellos se entregaban los tributos que daban las aldeas para los dioses; a veces se les construían tumbas como las que habían visto, con enormes *sarcófagos* de piedra y columnas naturales, traídas desde el mar.

—Por tanto –dijo mientras pasaban frente a dos enormes cabezas de piedra–, nunca le harían al artesano una escultura de éstas.

"Bah", pensó Xoi Yuun, "entonces ¿por qué tendrá el artesano tantos aires de grandeza?; al fin, tampoco es un gobernante de verdad."

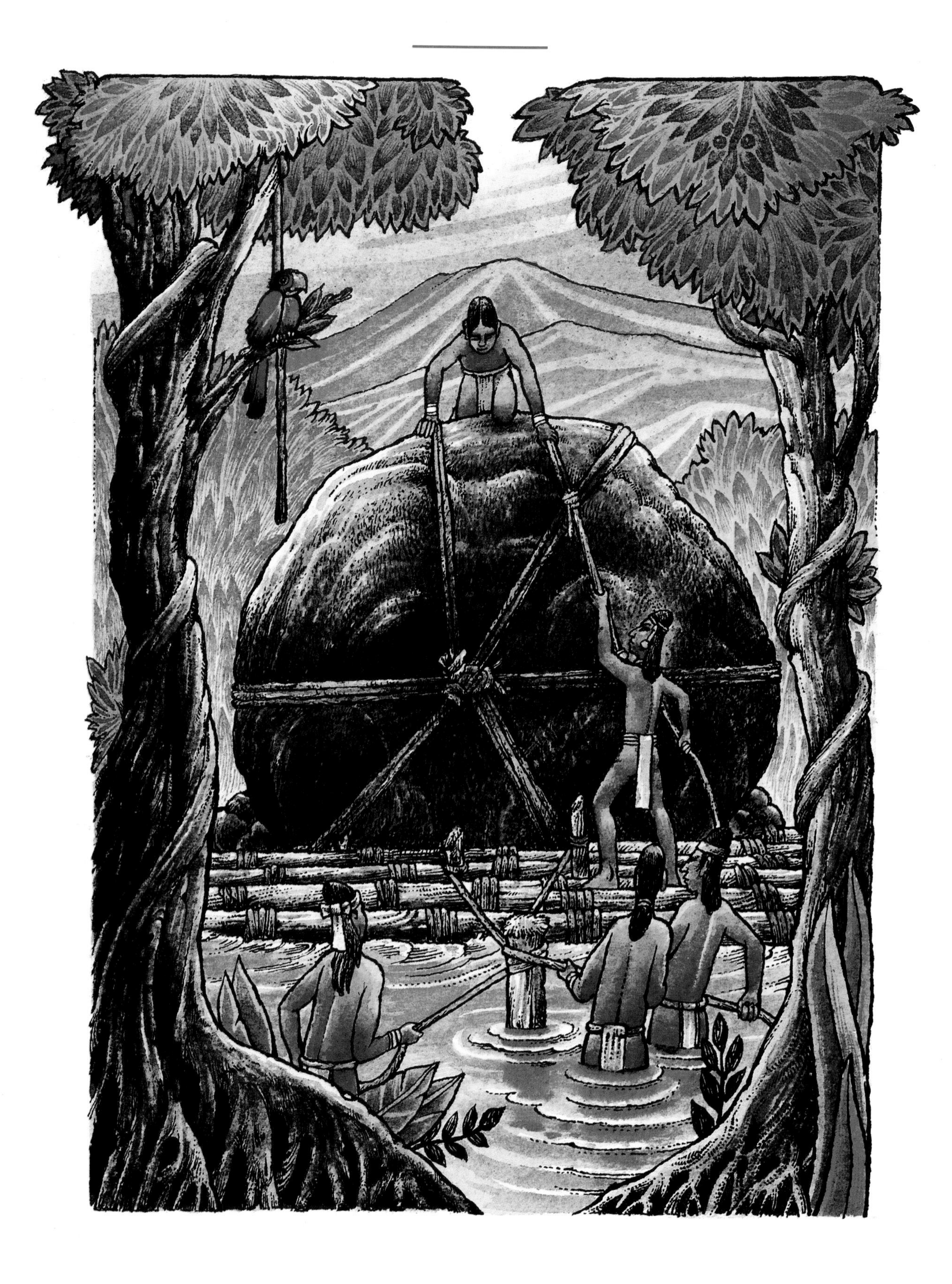

Frecuentemente se dice que los pueblos del México antiguo tenían una tecnología "neolítica". Esto es correcto, y quiere decir que los instrumentos de trabajo eran de madera, hueso, cuerda y, sobre todo, de piedra pulida. Los metales se trabajaron para fabricar adornos en los últimos siglos de la época prehispánica, pero no para producir instrumentos de trabajo.

Con esa tecnología de piedra, los antiguos mexicanos construyeron grandes obras de arquitectura y escultura, gracias al uso de hachas, cinceles, martillos, plomadas, taladros y otros instrumentos.

Una gran piedra para una gran cabeza

De repente encontraron al tío de Xoi Yuun. Entre risas y abrazos se saludaron los cuatro y comentaron qué flaco estaba el tío, cómo había crecido Xoi Yuun en los meses que había estado ausente y todas las cosas que se dicen en esas ocasiones.

Feliz, Xoi Yuun miró a su tío. Era el hombre más admirable que conocía y quería ser como él cuando creciera. Era el mejor cazador de la aldea, el que venía siempre que había que participar en alguna obra en la villa, y era soltero. Xoi Yuun no entendía muy bien, pero en casa lo decían las mujeres en voz baja, los hombres entre risas, que si no necesitaba esposa era porque visitaba las aldeas cercanas cuando los maridos iban de cacería.

Su tío los condujo a ver la piedra. ¡Era inmensa; más grande que su casa! Xoi Yuun, su hermano y su papá le rogaron que les contara cómo la habían traído.

El tío explicó que no había sido fácil. Primero la cortaron en la región de

las montañas del Poniente. De allí la empujaron y jalaron entre más de mil hombres hasta un gigantesco río que estaba a muchos meses de distancia. Esto no era sencillo, porque era posible que la piedra se resbalase, como había sucedido unos años antes, cuando quedó sumergida en el lodo de la orilla después de aplastar a muchos hombres y fue imposible sacarla. En esta ocasión los *capataces* fueron más cuidadosos porque temían ser sacrificados como los de entonces y no hubo contratiempos. En el río montaron la piedra sobre una balsa tan grande que casi se había necesitado un bosque para construirla, y navegando la llevaron al mar, inmenso, de aguas saladas. Desde allí la condujeron por los arroyos; por fin había llegado al gran pueblo, tras muchísimo tiempo de trabajo.

El tío de Xoi Yuun se quedó callado porque en aquel momento llegó un señor principal y mandó que dieran mejor acomodo a la piedra. Entre cien hombres apenas pudieron moverla, pero al fin lograron complacer al señor.

Xoi Yuun se dio cuenta de que era un señor muy importante porque todos

le hacían mucho caso. Aunque estaba lejos de él, lo deslumbró la bella capa de plumas rojas, verdes y azules que vestía. Ninguna de esas plumas era de un pájaro que Xoi Yuun hubiera visto; el resto de su vestimenta era igualmente rico. Tenía un collar de jade mucho más vistoso que el del artesano, un tocado en la cabeza y en el pecho un espejo de *pirita* que brillaba más que el jade. Xoi Yuun se preguntó si no tendría calor con todo eso encima. En voz baja su tío les explicó a él, a su papá y a su hermano que la piedra se iba a esculpir en honor de ese señor para hacer una cabeza como las que habían visto. Era el nuevo gobernante.

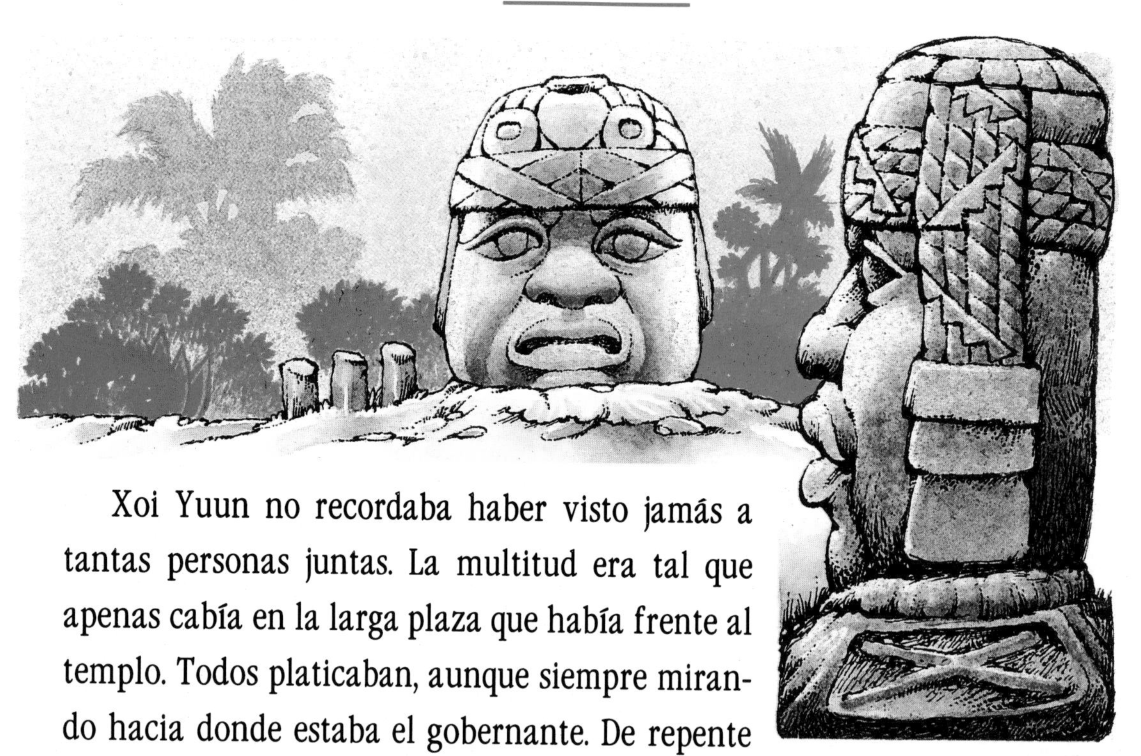

Xoi Yuun no recordaba haber visto jamás a tantas personas juntas. La multitud era tal que apenas cabía en la larga plaza que había frente al templo. Todos platicaban, aunque siempre mirando hacia donde estaba el gobernante. De repente se quedaron callados. Emocionado, Xoi Yuun trató de ver qué pasaba, pero apenas si pudo ver que se habían juntado muchos señores al pie del templo. A su alrededor, todos los campesinos se echaron al suelo. Xoi Yuun se quedó parado sin saber qué hacer. Desde lejos, uno de los señores lo miró fijamente a los ojos. Aterrado, Xoi Yuun no podía evitar su mirada y echarse al suelo. Sin embargo, el hombre del espejo de pirita lo veía sin enojo y por fin, tras segundos que parecieron eternos, le hizo la seña de que se inclinara y Xoi Yuun se lanzó al suelo.

Sudando por el susto que acababa de pasar, Xoi Yuun se percató, aliviado, de que ni su padre ni su tío ni su hermano se habían dado cuenta de lo sucedido. Apenas pudo ver cómo subieron los señores por los escalones y cómo depositaron la ofrenda que llevaban. Después, el gobernante, con voz grave y profunda, invocó la protección del jaguar de la tierra para todos, señores, artesanos y campesinos, por igual. Mientras algunos hombres bailaban todavía y los destellos de los espejos de pirita

y jade disminuían al alejarse los señores, Xoi Yuun intentaba recuperar el aliento.

Al terminar la ceremonia, su hermano le preguntó por qué estaba tan sofocado. Xoi Yuun sólo esquivó la mirada inquisidora de su padre y trató de alejarse un poco, pues no quería contar lo que le había ocurrido. No había dado tres pasos cuando chocó con alguien. Miró hacia arriba y vio a los ojos al señor del espejo de pirita. Xoi Yuun casi se desmayó, pero el señor lo tranquilizó.

Le dijo que siempre se acercaba a los que fuesen conejos, porque entre ellos había un lazo especial, no importando si eran campesinos o señores. Finalmente, ya que Xoi Yuun se había tranquilizado, el señor le recomendó a su padre que le instruyera para el día de iniciación, que no estaba lejano.

Cuando regresaban, Xoi Yuun volvió a mirar una de las cabezas e intrigado preguntó:

-¿Tío, por qué las cabezas tienen la nariz chata, la boca tan grande y la cara tan aplastada, si los señores no son así?

-Es que los escultores las hacen así para que se vean más hermosos -dijo su tío riendo de buena gana-. O a lo mejor es para tallar menos piedra y hacerlo más rápido.

El papá de Xoi Yuun se puso furioso. Regañó al tío por enseñarle a los niños a burlarse de sus mayores, a Xoi Yuun le jaló una oreja por preguntar tantas cosas. Al hermano de Xoi Yuun le dijo:

-Ya eres un adulto, hijo. Piensas en casarte y tener hijos y todavía te ríes con las tonterías de tu tío, el bueno para nada. ¡Debes ser más serio y trabajar duro para ser un buen padre!

Caía la tarde y echaron a andar los cuatro: Xoi Yuun regañado, su papá molesto, su hermano sin saber qué decir y su tío mordiéndose la lengua para no reír, silbando una alegre canción de rato en rato.

La ofrenda es uno de los elementos centrales para entender el ritual religioso de los pueblos prehispánicos. Los hombres dan a los dioses, y así los retribuyen por los beneficios recibidos.

Los sacerdotes se punzaban diferentes partes del cuerpo para ofrecer su sangre. Los gobernantes ofrecían la sangre de codornices y otras aves antes de salir a la guerra. Después de un sacrificio humano se ofrecía el corazón de la víctima al dios solar. En las grandes fiestas todo el pueblo ofrecía flores en forma de hermosos tapetes. Y cada mañana, en todas las casas y en todos los templos del México antiguo, todos los días, sin excepción, se ofrecía copal a los dioses. El polvo de la resina aromática caía sobre las brasas y se levantaba un humo blanco, como una plegaria.

Xoi Yuun quiere ser como su tío

Cuando llegaron al lugar donde dejaron la canoa ya estaban en paz. Tomaron la canoa, la desamarraron, la despegaron del lodo de la orilla y subieron en ella. En el camino el tío de Xoi Yuun presumía de todo lo que había visto y de sus aventuras durante el viaje.

Contó que hacía muchos años había participado en la construcción de una ofrenda dentro del gran pueblo. De una lejana región se había traído muchas piedras verdes, menos brillantes que el jade pero muy bellas. Excavaron un gran agujero en la plaza del pueblo, colocaron las piedras en forma de una pirámide más alta que la cabeza más grande y las cubrieron con capas de tierra de distintos colores. Luego colocaron un mosaico de la misma piedra, con la forma del rostro de un jaguar, y encima hicieron una base que sobresalía de la tierra.

El papá de Xoi Yuun se volvió a enojar:

–No está bien que le hables a Xoi Yuun de las ceremonias de la fertilidad –dijo con tono impaciente–; recuerda que aún no ha pasado la ceremonia de iniciación como adulto.

–No creo que el jaguar de la tierra se moleste por lo que le cuento a Xoi Yuun –respondió su tío–. En todo caso, parece que es a ti a quien asusta hablar de ello.

Su papá no volvió a decir nada, pero colocó a Xoi Yuun en el extremo de la canoa, lo más lejos posible de su tío y se limitó a remar en silencio. El tío, no teniendo nada qué hacer, se comió el último tamal del itacate, se acabó el pozol y se durmió hasta que llegaron a la aldea.

En el camino, Xoi Yuun meditaba sobre lo que había ocurrido. Pensó que, por suerte, ya que era tan claro que el conejo lo había seleccionado, sería uno de sus protegidos. Nunca cambiaría. Aunque fuera adulto, siempre tendría el carácter alegre y sería siempre el más rápido.

Las mujeres esperaban en la orilla a sus hombres. Cuando la canoa de Xoi Yuun llegó, su mamá y su hermana la recibieron muy contentas, saludaron

Al parecer, la mayoría de los pueblos del México antiguo hacían tres comidas; dos de ellas muy ligeras y una fuerte. Al despertar tomaban una bebida fresca de maíz, en las zonas cálidas, y algo de pulque en las tierras más frías, y quizá alguna fruta o tamales.

Al mediodía se comía un almuerzo consistente en totopos, pinole, agua y algún otro alimento susceptible de transportarse en el itacate.

La comida fuerte se hacía al final de la jornada de trabajo, e incluía tortillas calientes o tamales, frijoles y jitomate guisados, salsas de chiles y semillas, y ocasionalmente la carne de algún animal, como el conejo o el venado.

efusivamente al tío y los hicieron entrar en la casa. Estaba oscureciendo, era la hora en que había más moscos y rápidamente se metieron en la casa para evitarlos. También era la hora de comer. Comieron tamales y pescado, tomaron más pozol y platicaron de todas las cosas interesantes que habían visto en el gran pueblo.

Lástima que su mamá y su hermana no podían ir a ver la piedra, pensó Xoi Yuun mientras se acomodaba en su petate. Su mamá siempre le decía que le gustaba trabajar en la casa, recoger plantas, hacer la comida y

arreglarlo todo. Disfrutaba en especial de tejer la ropa que usaba su familia. Era tan buena para esto que todas las vecinas le tenían envidia y le pedían que les enseñara a hacerlo. Su hermana también era una excelente tejedora, pero ella prefería cocinar y platicar con sus amigas. Y aunque no lo decía era evidente que le hubiera gustado, incluso más que platicar con sus amigas, dar una vuelta en la canoa con aquel muchacho de una de las aldeas cercanas.

Pensando en esto y en el día en que, como su tío, iría muy lejos para traer cosas al gran pueblo, Xoi Yuun se quedó dormido mientras su papá platicaba con su mamá.

–Es un buen muchacho, lástima que se quiera parecer a su tío –fue lo último que Xoi Yuun escuchó decir a su papá–. Con el tiempo y el trabajo en la milpa se le irán quitando esas ideas de la cabeza y se volverá un buen hombre.

"De todas formas", pensó Xoi Yuun, casi en sueños, "aunque llegara a ser un buen hombre y un mejor cazador, jamás le haría daño a un conejo". No, porque él también era uno.

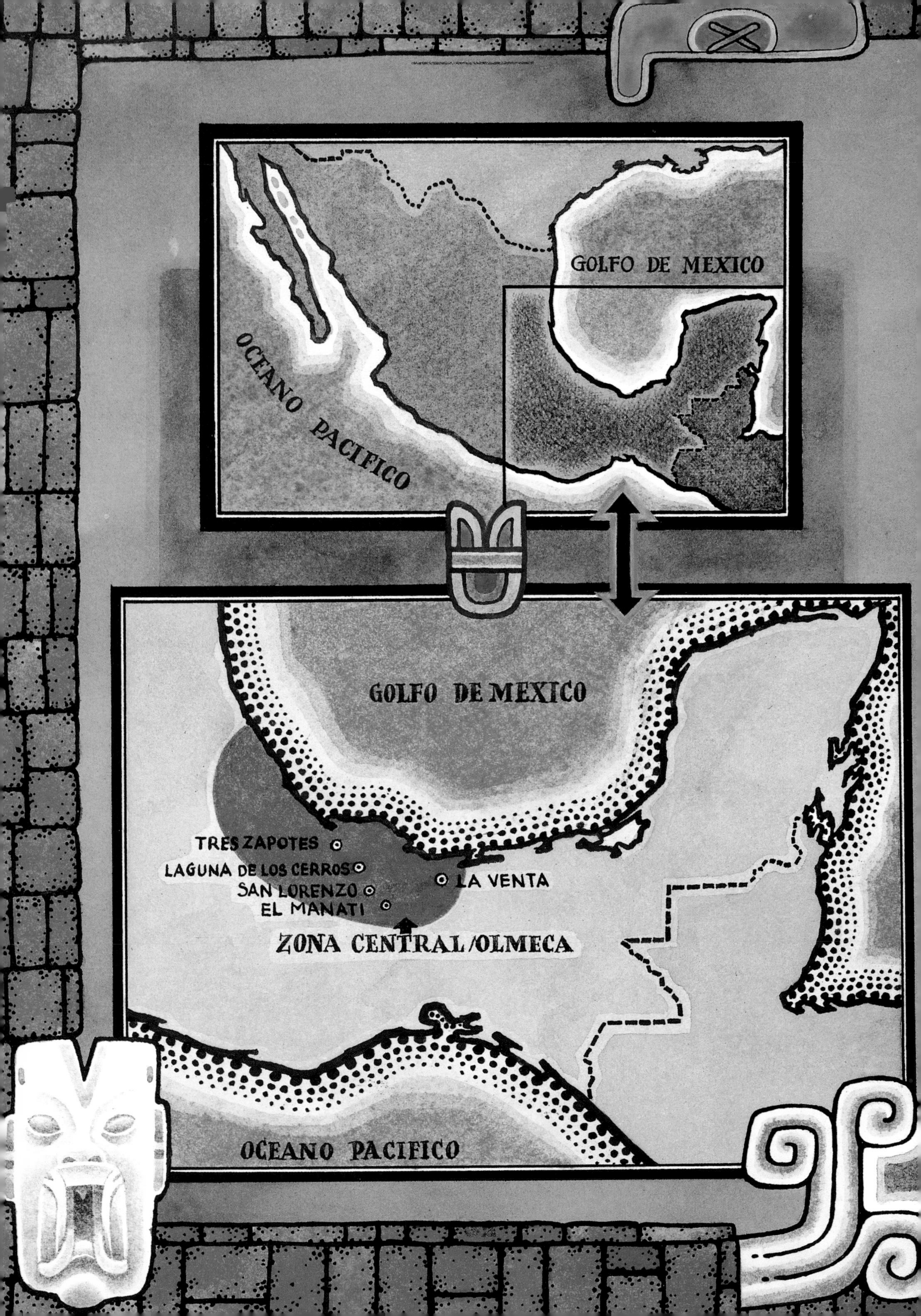
GOLFO DE MEXICO
OCEANO PACIFICO
GOLFO DE MEXICO
TRES ZAPOTES
LAGUNA DE LOS CERROS
SAN LORENZO
EL MANATI
LA VENTA
ZONA CENTRAL/OLMECA
OCEANO PACIFICO

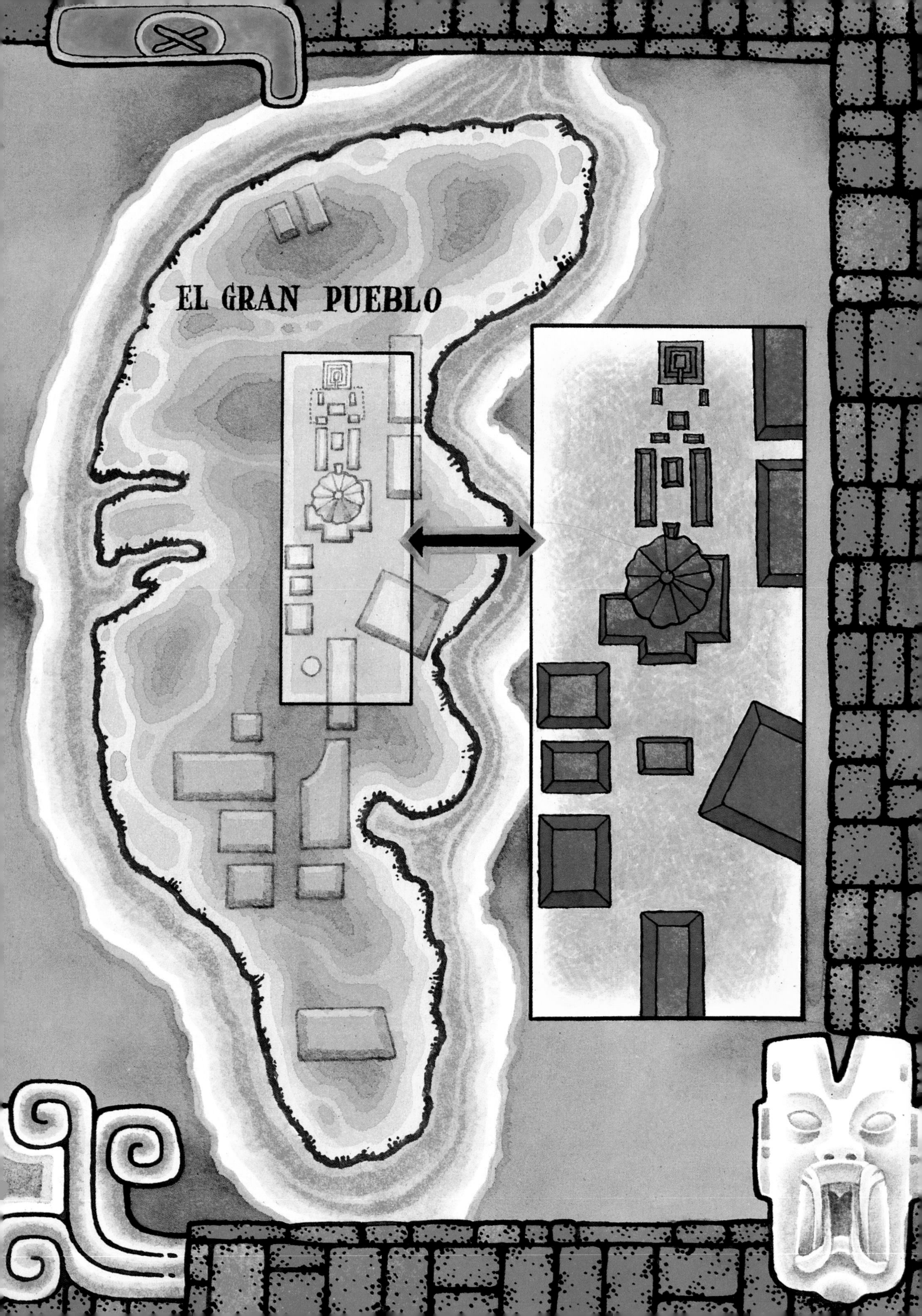
EL GRAN PUEBLO

Glosario

capataz: encargado de dirigir la faena de un grupo o cuadrilla de trabajadores

flanqueado: que está acompañado, protegido, enmarcado por algo que se sitúa en sus costados o márgenes.

guaje: cáscara rígida de un fruto utilizada como cantimplora.

iniciación: ceremonia que solía practicarse en las culturas de la antigüedad, cuando los individuos pasaban de una edad o estado a otro; por ejemplo, cuando pasaban de la infancia a la pubertad.

itacate: provisión de alimentos que se lleva a una travesía o al lugar de trabajo.

mangle: árbol tropical de raíces altas o zancudas que crece cerca del mar, en la orilla de lagunas y tierras inundadas.

manglar: arboleda de mangles y algunas otras especies, generalmente espesa, que se forma en pantanos y lagunas cerca del mar. Es característico del manglar el enjambre de tallos y altas raíces entrelazadas.

milpa: tierra de labor, parcela cultivada.

petate: estera o tapete tejido de fibra vegetal.

pirita: piedra formada de sulfuro de hierro, cuya superficie resulta muy brillante cuando se pule.

pozol: bebida refrescante elaborada con agua y masa de maíz.

sarcófago: especie de ataúd o caja, de madera o piedra, en que se guarda el cuerpo de un muerto.

tallar: esculpir.

tecomate: olla de barro en forma globular.

terraza: terreno nivelado para cultivar en él o fincar una casa.

tutelar: protector. El animal tutelar es el animal que protege mágicamente a un individuo.

Cronología

3000 a.C. Se producen los primeros objetos de barro cocido, es decir, de cerámica, en el México antiguo. Esto ocurre en Altamira, Chiapas.

2500 a.C. En algunas aldeas de agricultores empiezan a fabricarse hachas y otros objetos de basalto pulido.

2000 a.C. Se generaliza la fabricación de cerámica en las aldeas del México antiguo.

1200 a.C. Las villas o poblados importantes crean los primeros panteones, en los cuales se entierra a cientos de individuos acompañados por objetos de barro y piedra, a manera de ofrendas.

1150 a.C. Surge el primer gran centro ceremonial del México antiguo, San Lorenzo Tenochtitlan, en la costa del Golfo. Cultura olmeca.

900 a.C. Abandono y destrucción de San Lorenzo.

700 a.C. Apogeo de La Venta, el mayor centro ceremonial olmeca.

500 a.C. Abandono de los principales sitios olmecas. Fundación de Cuicuilco, en el valle de México, y de Monte Albán, en Oaxaca.

Cronología

40000 a.C. Fecha más antigua en que puede haber ingresado el hombre al continente americano, por Alaska.

20000 a.C. Antigüedad aproximada del ingreso del hombre al territorio que actualmente ocupa México.

12000 a.C. El *homo sapiens* llega a Brasil.

8000 a.C. Los cazadores-recolectores del México antiguo empiezan a cultivar la calabaza.

7000 a.C. Empiezan a cultivarse el aguacate y el teosintle, forma primitiva del maíz.

5400 a.C. Se cultiva el amaranto.

5000 a.C. Aparece el maíz en mazorca, tal como lo conocemos hoy, después de dos mil años de experimentación.

4000 a.C. Empiezan a cultivarse el chile y el frijol.

3000 a.C. Podemos hablar de la existencia de agricultores plenamente sedentarios en el México antiguo.